ᓂᖅᖢᐅᕐᕕᖕᒥ
NIQŁIURVINGMI
IN THE KITCHEN

ᑎᑎᖅᑐᒐᖅᑐᖅ

ᐋᒫᓐᑕ ᓵᓐᑦᓚᓐᑦ

TITIQTUGAQTUQ ILLUSTRATED BY

Amanda Sandland

ᒪᑐᐃᖅᑕᖅᑐᖅ

matuiqtaqtuq

cupboard

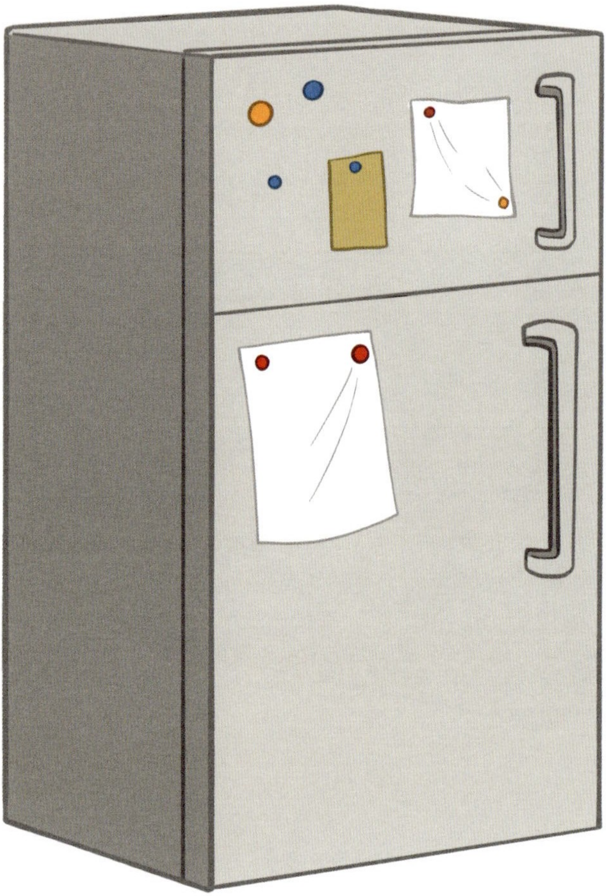

ᓂᓪᓕᓇᖅᑐᒃᑯᕕᒃ

nillinaqtukkuvik

fridge

ᒪᒃᑲᐅᔭᖅ

makkaujaq

bowl

ᐊᓘᑎ

aluuti

spoon

ᐃᒥᐅᑎ

imiuti

glass

ᓂᖅᑭ

niqi

food